U1071061

在深度贫困地区脱贫攻坚座谈会上的讲话

（2017 年 6 月 23 日）

习　近　平

人 民 出 版 社

在深度贫困地区脱贫攻坚座谈会上的讲话

（2017 年 6 月 23 日）

习　近　平

今天，我们召开一个深度贫困地区脱贫攻坚座谈会，研究如何做好深度贫困地区脱贫攻坚工作。攻克深度贫困堡垒，是打赢脱贫攻坚战必须完成的任务，全党同志务必共同努力。

今年 2 月 21 日，中央政治局举行第三十九次集体学习时，国务院扶贫办准备了一个专题片，反映深度贫困地区问题，看到一些地区还很落后、群众生活还很艰苦，大家感到心里沉甸甸的。因此，我想请省市县三级书记来，研究推进深度贫困地区脱贫攻坚工作。

党的十八大以来，我最关注的工作之一就是贫困人口脱贫。每到一个地方调研，我都要到贫困村和贫困户了解情况，有时还专门到贫困县调研。这次到吕梁山区后，全国11个山区集中连片特困地区，包括六盘山区、秦巴山区、武陵山区、乌蒙山区、滇桂黔石漠化区、滇西边境山区、大兴安岭南麓山区、燕山—太行山区、吕梁山区、大别山区、罗霄山区，我都走到了。2012年12月底，我就到河北保定市阜平县就扶贫攻坚工作进行考察调研，到了贫困村，访问了贫困户，并主持会议听取了河北省、保定市、阜平县扶贫开发工作的汇报。今天这个座谈会，是我主持召开的第四个跨省区的脱贫攻坚座谈会。

第一次是2015年2月13日，我在陕西延安主持召开陕甘宁革命老区脱贫致富座谈会。在那次座谈会上，我讲到，全面建成小康社会，没有老区的全面小康，没有老区贫困人口脱贫致富，那是不完整的。各级党委和政府要增强使命感和责任感，把老区发展和老区人民生活改善时刻放在心上，加大投入支持力度，加快老区发展步伐，让老区人民都过上幸福美满的日子，确保老区人民同全国人民一道进入全面小康社会。

第二次是2015年6月18日，我在贵州贵阳主持召开涉及武陵山、乌蒙山、滇桂黔集中连片特困地区扶贫攻坚座谈会。在那次座谈会上，我提出，“十三五”的最后一年是2020年，正好是我们确定的全面建成小康社会的时间节点，全面建成小康社会最艰巨最繁重的任务在农村，特别是在贫困地区。扶贫开发工作进入啃硬骨头、攻坚拔寨的冲刺期，要把握时间节点，努力补齐短板，科学谋划好“十三五”时期扶贫开发工作，确保贫困人口到2020年如期脱贫。要在精准扶贫、精准脱贫上下更大功夫，做到扶持对象精准、项目安排精准、资金使用精准、措施到户精准、因村派人（第一书记）精准、脱贫成效精准。要实施“四个一批”的扶贫攻坚行动计划，通过扶持生产和就业发展一批，通过移民搬迁安置一批，通过低保政策兜底一批，通过医疗救助扶持一批，实现贫困人口精准脱贫。

第三次是2016年7月20日，我在宁夏银川主持召开东西部扶贫协作座谈会。在那次座谈会上，我讲到，东西部扶贫协作和对口支援，是实现先富帮后富、最终实现共同富裕目标的大举措，充分彰显了中国共产党领导和我国社会主义制度的政治优势，必须长期坚持下去。西部地区特别是民族地区、边疆地区、革命老区、集中连片特困地区贫困程度深、扶贫成本高、脱贫难度大，是脱贫攻坚的短板。必须采取系统的政策和措施，做好东西部扶贫协作和对口支援工作，全面打赢脱贫攻坚战。

这几次座谈会，对统一认识、部署行动、交流情况、推动工作，都产生了重要作用。座谈会上提出的思路和举措，都得到积极落实，收到明显成效。

今天这个座谈会，请了山西、云南、西藏、青海、新疆5个省区，江西赣州市、湖北恩施州、湖南湘西州、四川凉山州、甘肃定西市5个市州，河北康保县、内蒙古科尔沁右翼中旗、广西都安县、陕西山阳县、宁夏同心县5个县旗，以及山西吕梁山区、燕山—太行山区2个集中连片特困地区涉及的4个地级市和21个县的党委书记参加会议。把大家请来，一方面是交流脱贫攻坚进展情况和分析存在的突出问题，另一方面是集中研究破解深度贫困之策。

刚才，参加会议的5位省区党委书记的书面汇报和脱贫攻坚重点地区的11位市州、县旗党委书记的发言，都很好。大家结合实际，介绍了脱贫攻坚的坚中之坚情况，提出了做好工作的意见和建议，听后很受启发。对大家提出的意见和建议，有关部门要认真研究，可采纳的尽量采纳。

下面，我就推进深度贫困地区脱贫攻坚工作讲几点意见。

一、深度贫困地区是脱贫攻坚的坚中之坚

党的十八大以来，党中央把贫困人口脱贫作为全

面建成小康社会的底线任务和标志性指标，在全国范围全面打响了脱贫攻坚战。脱贫攻坚力度之大、规模之广、影响之深，前所未有。

现在，各方面都行动起来了。党中央确定的中央统筹、省负总责、市县抓落实的管理体制得到贯彻，四梁八柱性质的顶层设计基本形成，五级书记抓扶贫、全党动员促攻坚的氛围已经形成，各项决策部署得到较好落实。脱贫攻坚成绩显著，每年农村贫困人口减少都超过1000万人，累计脱贫5500多万人；贫困发生率从2012年底的10.2%下降到2016年底的4.5%，下降5.7个百分点；贫困地区农村居民收入增幅高于全国平均水平，贫困群众生活水平明显提高，贫困地区面貌明显改善。

我国贫困问题具有区域性特征。1986年启动国家大规模减贫计划时，就划定过18个集中连片贫困地区，我当时工作的宁德地区就属于18片中的闽东北地区。那时，即使东部地区也还有许多群众生活非常困难。经过30多年持续努力，当年的贫困地区大部分已经改变面貌，群众生活也得到明显改善。

同时，我们必须看到，我国脱贫攻坚面临的任务仍然十分艰巨。从总量上看，2016年底，全国农村贫困人口还有4300多万人。如期实现脱贫攻坚目标，平均每年需要减少贫困人口近1100万人,越往后脱贫成本越高、难度越大。从结构上看,现有贫困大都是自然条件差、经济基础弱、贫困程度深的地区和群众,是越来越难啃的硬骨头。在群体分布上,主要是残疾人、孤寡老人、长期患病者等"无业可扶、无力脱贫"的贫困人口以及部分教育文化水平低、缺乏技能的贫困群众。在脱贫目标上,实现不愁吃、不愁穿"两不愁"相对容易,实现保障义务教育、基本医疗、住房安全"三保障"难度较大。

现在看,脱贫攻坚的主要难点是深度贫困。主要难在以下几种地区:一是连片的深度贫困地区,西藏和四省藏区、南疆四地州、四川凉山、云南怒江、甘肃临夏等地区,生存环境恶劣,致贫原因复杂,基础设施和公共服务缺口大,贫困发生率普遍在20%左右。二是深度贫困县,据国务院扶贫办对全国最困难的20%的贫困县所做的分析,贫困发生率平均在23%,县均贫困人口近3万人,分布在14个省区。三是贫困村,全国12.8万个建档立卡贫困村居住着60%的贫困人口,基础设施和公共服务严重滞后,村两委班子能力普遍不强,四分之三的村无合作经济组织,三分之二的村无集体经济,无人管事、无人干事、无钱办事现象突出。

根据河北省的调查,深度贫困的特征可以概括为

“两高、一低、一差、三重”。“两高”即贫困人口占比高、贫困发生率高。深度贫困县贫困人口占全省贫困人口总数22%以上;深度贫困县贫困发生率在15%以上,高于全省贫困县平均水平近9个百分点;深度贫困村贫困发生率接近35%,高于全省贫困村平均水平近24个百分点。“一低”即人均可支配收入低。深度贫困县人均国内生产总值21650元,人均公共财政预算收入1386元,农民人均可支配收入5928元,分别只有全省平均水平的50.7%、36.2%、49.7%。“一差”即基础设施和住房差。深度贫困县的贫困村中,村内道路、入户路、危房需要维修和重建。“三重”即低保五保贫困人口脱贫任务重、因病致贫返贫人口脱贫任务重、贫困老人脱贫任务重。深度贫困县贫困人口中低保、五保贫困户占比高达近60%,因病致贫、患慢性病、患大病、因残致贫占比达80%以上,60岁以上贫困人口占比超过45%。

深度贫困地区在2020年如期实现脱贫攻坚目标,难度之大可想而知。脱贫攻坚本来就是一场硬仗,而深度贫困地区脱贫攻坚是这场硬仗中的硬仗。我们务必深刻认识深度贫困地区如期完成脱贫攻坚任务的艰巨性、重要性、紧迫性,采取更加集中的支持、更加有效的举措、更加有力的工作,扎实推进深度贫困地区脱贫攻坚。

二、全面把握深度贫困的主要成因

古人说:“病有标本”,“知标本者,万举万当;不知标本者,是谓妄行”。推进深度贫困地区脱贫攻坚,需要找准导致深度贫困的主要原因,采取有针对性的脱贫攻坚举措。深度贫困地区、贫困县、贫困村,致贫原因和贫困现象有许多共同点。

一是集革命老区、民族地区、边疆地区于一体。深度贫困县中,有革命老区县 55 个,少数民族县 113 个。自然地理、经济社会、民族宗教、国防安全等问题交织在一起,加大了脱贫攻坚的复杂性和难度。

二是基础设施和社会事业发展滞后。深度贫困地区生存条件比较恶劣,自然灾害多发,地理位置偏远,地广人稀,资源贫乏。西南缺土,西北缺水,青藏高原缺积温。这些地方的建设成本高,施工难度大,要实现基础设施和基本公共服务主要领域指标接近全国平均水平难度很大。

三是社会发育滞后,社会文明程度低。由于历史等方面的原因,许多深度贫困地区长期封闭,同外界脱节。有的民族地区,尽管解放后实现了社会制度跨越,但社会文明程度依然很低,人口出生率偏高,生病不就医、难就医、乱就医，很多人不学汉语、不识汉字、不懂普通话，大孩子辍学带小孩。有的地区文明法治意识淡薄，家族宗教势力影响大，不少贫困群众沿袭陈规陋习，有病不就医靠信教、搞法事，婚丧嫁娶讲排场、搞攀比，“一婚十年穷”。不少群众安于现状，脱贫内生动力严重不足。

四是生态环境脆弱，自然灾害频发。深度贫困地区往往处于全国重要生态功能区，生态保护同经济发展的矛盾比较突出。还有一些地方处在地质灾害频发地带，“十年一大灾、五年一中灾、年年有小灾”，实现脱贫和巩固脱贫成果都存在很大不确定性。

五是经济发展滞后，人穷村也穷。很多深度贫困村发展产业欠基础、少条件、没项目，少有的产业项目结构单一、抗风险能力不足，对贫困户的带动作用有限。深度贫困县村均集体收入只有8800多元，同所有贫困县平均5万元相比，差距较大。

在深度贫困成因中，需要特别关注因病致贫问题。我看了2017年6月5日《人民日报》刊登的在内蒙古杭锦旗巴拉贡镇昌汉白村精准扶贫驻村调研形成的《驻村三记》，在“他们为什么贫困”一记中该记者写到：在我走访的贫困户中，几乎每家都有病人，昌汉白村因病致贫率超过八成。前天下午，我在岢岚县赵家洼村看望的刘福有一家，全家3口人，也个个有病，收入的大部分用来看病吃药。因病致贫、因病返贫不是个别现象，带有一定普遍性。

党的十八大以来，我们在全面推进脱贫攻坚的同时，加大对深度贫困地区的支持。对西藏和四省藏区、南疆四地州和四川凉山、云南怒江、甘肃临夏等地区，出台了专门的支持文件。对居住在生存条件恶劣、生态环境脆弱、自然灾害频发等“一方水土养活不了一方人”地区的贫困群众，大力度实施易地搬迁工程。探索资产收益扶贫方式，财政专项扶贫资金和其他涉农资金投入设施农业、养殖、光伏、水电、乡村旅游等项目形成的资产，具备条件的折股量化给贫困村和贫困户。在具备光热条件的地方实施光伏扶贫，建设村级光伏电站，通过收益形成村集体经济，开展公益岗位扶贫、小型公益事业扶贫、奖励补助扶贫。这些都是解决深度贫困的好办法。

各地也进行了积极探索，积累了很好的实践成果和经验。山西联动实施退耕还林、荒山绿化、森林管护、经济林提质增效、特色林产业五大项目，通过组建造林合作社等，帮助深度贫困县贫困人口脱贫。四川针对大小凉山彝区、川西北高原藏区整体深度贫困地区，制定了大小凉山彝区扶贫规划和方案、藏区六项民生工程行动计划、阿坝州扶贫开发和综合防治大骨节病方案，推进彝家新寨、藏区新居、乌蒙新村、扶贫新村建设。云南对人口较少民族、“直过”民族采取特殊扶持政策，取得明显效果，独龙族群众在打通进山隧道后高兴地给我写信。湖南针对湘西州深度贫困问题统筹推进产业、就业、易地搬迁、生态补偿、教育、社会保障等“十项工程”。

改革开放近 40 年来，我们实现了大规模减贫，也创造了集中连片深度贫困地区、贫困县、贫困村脱贫的成功经验。1982 年开始的三西地区扶贫开创我国有组织、有计划、大规模减贫行动之先河。这个历史上被左宗棠称为“苦瘠甲天下”、改革开放之初被外国专家认为“不具备人类生存基本条件”的地区，经过 30 多年开发式扶贫，发生了翻天覆地的变化。贵州毕节市也是全国最贫困的片区之一，1988 年建立扶贫开发和生态建设试验区，现在人民生活从普遍贫困跨越到基本小康。我在宁德工作时，把“摆脱贫困”作为工作主线，提倡“滴水穿石”的闽东精神，树立“弱鸟先飞”的追赶意识。宁德经过长期努力，解决了区域性整体贫困问题。江西井冈山、河南兰考是已经摘帽的两个贫困县。2013 年我到过的湖南湘西州十八洞村，3 年多时间摘掉了贫穷帽子，实现了全部脱贫，当年的 40 个光棍已有一半成了家，而且新娘都是外村人。

这些都是我们过去解决最贫困地区脱贫和发展非常成功的典型。实践证明，深度贫困并不可怕。只要高度重视，思路对头，措施得力，工作扎实，深度贫困是完全可以战胜的。

三、加大力度推进深度贫困地区脱贫攻坚

加快推进深度贫困地区脱贫攻坚，要按照党中央统一部署，坚持精准扶贫精准脱贫基本方略，坚持中央统筹、省负总责、市县抓落实的管理体制，坚持党政一把手负总责的工作责任制，坚持专项扶贫、行业扶贫、社会扶贫等多方力量、多种举措有机结合和互为支撑的“三位一体”大扶贫格局，以解决突出制约问题为重点，以重大扶贫工程和到村到户帮扶措施为抓手，以补短板为突破口，强化支撑保障体系，加大政策倾斜力度，集中力量攻关，万众一心克难，确保深度贫困地区和贫困群众同全国人民一道进入全面小康社会。

第一，合理确定脱贫目标。党中央对2020年脱贫攻坚的目标已有明确规定，即到2020年，稳定实现农村贫困人口不愁吃、不愁穿，义务教育、基本医疗和住房安全有保障；实现贫困地区农民人均可支配收入增

长幅度高于全国平均水平，基本公共服务主要领域指标接近全国平均水平；确保我国现行标准下农村贫困人口实现脱贫，贫困县全部摘帽，解决区域性整体贫困。深度贫困地区也要实现这个目标。同时，我们要以唯物主义的态度对待这个问题，即使到了2020年，深度贫困地区也不可能达到发达地区的发展水平。我们今天的努力是要使这些地区的群众实现“两不愁三保障”，使这些地区基本公共服务主要领域指标接近全国平均水平。在这个问题上，我们要实事求是，不要好高骛远，不要吊高各方面胃口。

第二，加大投入支持力度。要发挥政府投入的主体和主导作用，发挥金融资金的引导和协同作用。新增脱贫攻坚资金主要用于深度贫困地区，新增脱贫攻坚项目主要布局于深度贫困地区，新增脱贫攻坚举措主要集中于深度贫困地区。各部门安排的惠民项目要向深度贫困地区倾斜，深度贫困地区新增涉农资金要集中整合用于脱贫攻坚项目。各级财政要加大对深度贫困地区的转移支付规模，增加金融投入对深度贫困地区的支持，资本市场要注意对深度贫困地区的上市企业安排，保险机构要适当降低对深度贫困地区的保费收取标准。要增加建设用地对深度贫困地区支持力度，新增建设用地指标优先保障深度贫困地区发展用地需要，允许深度贫困县将城乡建设用地增减挂钩指标在省域范围内使用。通过各种举措，形成支持深度贫困地区脱贫攻坚的强大投入合力。

第三，集中优势兵力打攻坚战。“分则力散，专则力全。”造成各地深度贫困的原因各不相同，集中优势兵力打歼灭战要从各地实际出发，充分发挥我们集中力量办大事的制度优势。就全国而言，下一步要重点解决深度贫困地区公共服务、基础设施以及基本医疗有保障的问题。我在去年12月中央政治局常委会会议听取脱贫攻坚情况汇报时就提出，要实施贫困村提升工程，培育壮大集体经济，完善基础设施，打通脱贫攻坚政策落实“最后一公里”。只要我们集中力量，找对路子，对居住在自然条件特别恶劣地区的群众加大易地扶贫搬迁力度，对生态环境脆弱的禁止开发区和限制开发区群众增加护林员等公益岗位，对因病致贫群众加大医疗救助、临时救助、慈善救助等帮扶力度，对无法依靠产业扶持和就业帮助脱贫的家庭实行政策性保障兜底，就完全有能力啃下这些硬骨头。

第四，区域发展必须围绕精准扶贫发力。深度贫困地区的区域发展是精准扶贫的基础，是精准扶贫的重要组成部分。集中连片的贫困区要着力解决健全公共服务、建设基础设施、发展产业等问题，但必须明确，这样做是为了给贫困人口脱贫提供有利的发展环境，在深度贫困地区促进区域发展的措施必须围绕如何减贫来进行，真正为实施精准扶贫奠定良好基础。要防止以区域发展之名上项目、要资金，导致区域经济增长了、社会服务水平提高了，贫富差距反而拉大了。深度贫困地区要改善经济发展方式，重点发展贫困人口能够受益的产业，如特色农业、劳动密集型的加工业和服务业等。交通建设项目要尽量做到向进村入户倾斜，水利工程项目要向贫困村和小型农业生产倾斜，生态保护项目要提高贫困人口参与度和受益水平，新型农村合作医疗和大病保险制度要对贫困人口实行政策倾斜，等等。

第五，加大各方帮扶力度。要加大东部地区和中央单位对深度贫困地区的帮扶支持，强化帮扶责任，“谁的孩子谁抱”。对东西部扶贫协作和对口支援、中央单位定点帮扶的对象在深度贫困地区的，要在资金、项目、人员方面增加力度。东部经济发达县结对帮扶西部贫困县“携手奔小康行动”和民营企业“万企帮万村行动”，都要向深度贫困地区倾斜。国务院扶贫办要做好这方面的对接工作。要通过多种形式，积极引导社会力量广泛参与深度贫困地区脱贫攻坚，帮助深度贫困群众解决生产生活困难。要在全社会广泛开展向贫困地区、贫困群众献爱心活动，广泛宣传为脱贫攻坚作出突出贡献的典型事例，为社会力量参与脱贫攻坚营造良好氛围。

第六，加大内生动力培育力度。我常讲，扶贫要同扶智、扶志结合起来。智和志就是内力、内因。我在福建宁德工作时就讲“弱鸟先飞”，就是说贫困地区、贫困群众首先要有“飞”的意识和“先飞”的行动。没有内在动力，仅靠外部帮扶，帮扶再多，你不愿意“飞”，也不能从根本上解决问题。现在，一些地方出现干部作用发挥有余、群众作用发挥不足现象，“干部干，群众看”、“干部着急，群众不急”。一些贫困群众“等、靠、要”思想严重，“靠着墙根晒太阳，等着别人送小康”。要注重调动贫困群众的积极性、主动性、创造性，注重培育贫困群众发展生产和务工经商的基本技能，注重激发贫困地区和贫困群众脱贫致富的内在活力，注重提高贫困地区和贫困群众自我发展能力。要弘扬中华民族传统美德，勤劳致富，勤俭持家。要发扬中华民族孝亲敬老的传统美德，引导人们自觉承担家庭责任、树立良好家风，强化家庭成员赡养、扶养老年人的责任意识，促进家庭老少和顺。一个健康向上的民族，就应该鼓励劳动、鼓励就业、鼓励靠自己的努力养活家庭，服务社会，贡献国家。要改进工作方式方法，改变简单给钱、给物、给牛羊的做法，多采用生产奖补、劳务补助、以工代赈等机制，不大包大揽，不包办代替，教育和引导广大群众用自己的辛勤劳动实现脱贫致富。

第七，加大组织领导力度。深度贫困地区脱贫攻坚要强化落地，吹糠见米，做到人员到位、责任到位、工作到位、效果到位。解决深度贫困问题，加强组织领导是保证。党中央强调要增强“四个意识”，这不是一个口号，不是一句空话，要落实在行动上。各级党委和政府要坚决落实党中央决策部署，坚定不移做好脱贫攻坚工作。深度贫困地区党委和政府要坚持把脱贫攻坚作为“十三五”期间头等大事和第一民生工程来抓，坚持以脱贫攻坚统揽经济社会发展全局。县级党委是全县脱贫攻坚的总指挥部，县委书记要统揽脱贫攻坚，统筹做好进度安排、项目落地、资金使用、人力调配、推进实施等工作。我在这里再次重申，脱贫攻坚期内贫困县县级党政正职要保持稳定，对表现优秀的，完成脱贫攻坚任务后可提拔重用。希望在这个岗位上的同志不辱使命，把党交给的光荣任务全面完成好。

深度贫困地区脱贫攻坚，尤其要加强工作第一线的组织领导。打攻坚战的关键是人，这些年我们在贫困村选派第一书记、驻村工作队，有的还增加了大学生村官。深度贫困是坚中之坚，打这样的仗，就要派最能打的人，各地要在这个问题上下大功夫。否则，有钱也不成事。要把夯实农村基层党组织同脱贫攻坚有机结合起来，选好一把手、配强领导班子，特别是要下决心解决软弱涣散基层班子的问题，发挥好村党组织在脱贫攻坚中的战斗堡垒作用。还要依法打击村霸黑恶势力，严防他们干扰基层政权运行。各级党政机关要积极向贫困地区选派干部，向贫困村选派第一书记和驻村工作队，让干部在脱贫攻坚中锻炼成长。在脱贫攻坚一线工作的基层干部非常辛苦。今年元旦我在新年贺词中专门问候他们，就是要发出一个信号，要求地方党委和政府要关心、关爱、关注他们。要把深度贫困地区作为锻炼干部、选拔干部的重要平台。扶贫干部要真正沉下去，扑下身子到村里干，同群众一起干，不能蜻蜓点水，不能三天打鱼两天晒网，不能神龙见首不见尾。这方面，各级党组织和组织部门要管好抓紧，确保第一书记和驻村干部用心用情用力做好帮扶工作。

第八，加强检查督查。打赢脱贫攻坚战绝非朝夕之功，不是轻轻松松冲一冲就能解决的。党中央没有硬性要求地方提前完成脱贫任务，更何况贫困问题错综复杂的深度贫困地区。脱贫计划不能脱离实际随意提前，扶贫标准不能随意降低，决不能搞数字脱贫、虚假脱贫。要实施最严格的考核评估，坚持年度脱贫攻坚报告和督查制度，加强督查问责，对不严不实、弄虚作假的严肃问责。要加强扶贫资金管理使用，对挪用乃至贪污扶贫款项的行为必须坚决纠正、严肃处理。扶贫工作必须务实，脱贫过程必须扎实，脱贫结果必须真实，让脱贫成效真正获得群众认可、经得起实践和历史检验。

我多次强调，脱贫攻坚工作要实打实干，一切工作都要落实到为贫困群众解决实际问题上，切实防止形式主义，不能搞花拳绣腿，不能搞繁文缛节，不能做表面文章。一段时间以来，一些材料反映，一些地方为了做到精准识贫、精准扶贫，搞了一大堆表格要下面填写。一些基层干部忙于填写各类表格，加班加点，甚至没有时间进村入户调研办实事。还有一些表格需要贫困群众亲自填报，但表格设计太复杂，填写项目太多，而且有很多术语，农民也弄不清楚。这类问题要注意纠正，精准识贫、精准扶贫要坚持，但要讲究科学、讲究方法、讲究效率，把各方面信息集中起来，建立信息库，实现信息资源共享。

各省区市要按照党中央要求，聚焦问题，分析原因，寻找解决途径。工作力度不够的要加大力度，投入力度不够的要增加投入，解决问题的办法没找对的要尽快按照精准扶贫的要求研究对策，以确保到 2020 年省内深度贫困地区完成脱贫任务。

我相信，只要大家齐心协力、扎实工作，脱贫攻坚任务一定能够如期完成！

图书在版编目(CIP)数据

在深度贫困地区脱贫攻坚座谈会上的讲话/习近平 著. —北京：
人民出版社,2017.9

ISBN 978 - 7 - 01 - 018260 - 5

Ⅰ. ①在… Ⅱ. ①习… Ⅲ. ①习近平-讲话 ②扶贫-经济政策-
中国 Ⅳ. ①D2-0 ②F126

中国版本图书馆 CIP 数据核字(2017)第 226809 号

(RMC - ZJDXI - 052 - 20170623)

在深度贫困地区脱贫攻坚座谈会上的讲话

ZAI SHENDU PINKUN DIQU TUOPIN GONGJIAN ZUOTANHUI SHANG DE JIANGHUA

(2017 年 6 月 23 日)

习 近 平

人民出版社 出版发行
(100706 北京市东城区隆福寺街 99 号)

北京新华印刷有限公司印刷 新华书店经销

2017 年 9 月第 1 版 2017 年 9 月北京第 2 次印刷
开本:880 毫米×1230 毫米 1/32 印张:0.75
字数:11 千字

ISBN 978 - 7 - 01 - 018260 - 5 定价:2.20 元

邮购地址 100706 北京市东城区隆福寺街 99 号
人民东方图书销售中心 电话 (010)65250042 65289539

版权所有 · 侵权必究
凡购买本社图书,如有印制质量问题,我社负责调换。
服务电话:(010)65250042